MADELEINE DE VERCHÈRES

La combattante en jupons

MADELEINE DE VERCHÈRES

La combattante en jupons

Direction éditoriale : Angèle Delaunois
Édition électronique : Hélène Meunier
Révision linguistique : Jocelyne Vézina
Éditrice adjointe : Rhéa Dufresne

Collection Bonjour l'histoire n° 3
Dépôt légal : 2ᵉ trimestre 2012
Bibliothèque nationale du Québec
Bibliothèque nationale du Canada
**Catalogage avant publication de Bibliothèque
et Archives Canada**

Roberge, Marie, 1950-

    Madeleine de Verchères : la combattante en jupons
    (Bonjour l'histoire ; 3)
    Comprend des réf. bibliogr. et un index.
    Pour les jeunes de 8 à 12 ans.
    ISBN 978-2-923234-82-3
    ISBN NUMÉRIQUE 978-2-923818-77-1

    1. Verchères, Madeleine de, 1678-1747 - Ouvrages pour la
jeunesse. 2. Canada - Histoire - Jusqu'à 1763 (Nouvelle-France)
- Ouvrages pour la jeunesse. 3. Héros - Québec (Province) -
Biographies - Ouvrages pour la jeunesse. I. Titre. II. Collection:
Bonjour l'histoire ; 3.

FC351.V47R62 2012   j971.01'8092   C2012-940354-7

Nous remercions le gouvernement du Québec –
Programme de crédit d'impôt pour l'édition
de livres Gestion SODEC

Nous remercions le Conseil des Arts du Canada
de l'aide accordée à notre programme
de publication.

Marie Roberge

MADELEINE DE VERCHÈRES

La combattante en jupons

illustré par Sybiline

Éditions de l' Isatis

4829, avenue Victoria
Montréal (Québec) H3W 2M9
www.editionsdelisatis.com

À une institutrice de rang qui, avec force et courage,
a élevé ses sept enfants dans la fierté de leurs racines québécoises,
bercé leur enfance des comptines et des chansons françaises
que Gabrielle, Victorine, Marcelline, Marie-Marthe,
Marie et les autres lui avaient transmises
à travers les générations.

À Rita, ma mère.

* Les mots d'époque suivis d'un astérisque sont expliqués
dans le glossaire du dossier Madeleine de Verchères.

Fiche d'activités pédagogiques téléchargeable
gratuitement depuis le site **www.editionsdelisatis.com**

PROLOGUE

Nous n'avons pas à avoir honte ou à être fiers de notre passé, mais à en détenir une meilleure connaissance. [1]

Quand nos ancêtres ont décidé de s'installer ici, des liens d'amitié se sont tissés entre eux et certains Amérindiens. Ils ont rapidement appris des Autochtones des choses qui font partie de notre quotidien aujourd'hui.

Toutefois, les nouveaux arrivants ont dû aussi - c'était la réalité - se protéger de certains autres indigènes.

Les temps ont changé. La guerre est maintenant terminée… avec les mousquets et les canons en tout cas. Mais peu importe où se déroule le combat, pour défendre nos amis ou nos convictions, l'important c'est d'avoir le courage d'y faire face et de persévérer jusqu'au bout.

J'espère que la lecture de l'histoire de Madeleine de Verchères sera pour toi une source d'inspiration.

---

[1] KEMEID, Olivier, « Ne vengeons pas la mort du père », *Liberté* no 275-276, mois 2007, p.6

Chapitre 1

À L'ÉCOLE
DE LA GUERRE

AUTOMNE 1690

Depuis quelques jours, le ciel est bleu, aucun nuage à l'horizon. Les pluies de la semaine précédente ont cessé. À la lisière du sous-bois, Marie Perrot, l'épouse du seigneur de Verchères, regarde rêveusement les pommiers qui étirent vers le sol leurs bras lourds de belles pommes rouges.

Les escarmouches avec les Iroquois* ont diminué ces derniers temps. Le silence de cette magnifique matinée est à peine troublé par le chant des oiseaux. Sauf les foins dorés qui frissonnent sous la douce brise de septembre, tout est calme autour du fort*.

N'y tenant plus, la solide femme de trente-quatre ans décide de s'aventurer à l'extérieur du fort. Aussitôt dit, aussitôt fait. Elle quitte son poste d'observation, descend prestement les marches et se dirige vers les immenses portes en bois qui clôturent la palissade*. Comme elle s'apprête à se glisser hors des murs, elle entend une voix flûtée s'élever derrière elle:

— Où allez-vous, mère?

Arrêtée dans son élan, Marie se retourne pour découvrir Madeleine, la quatrième de ses neuf enfants, qui la fixe d'un air inquiet.

— Je vais cueillir des pommes et je reviens de suite.

— J'y vais avec vous.

— Tu n'y penses pas! Reste ici, je suis de retour dans quelques minutes.

— Alors, laissez au moins Casse-grain vous accompagner. Ça l'occupera, insiste Magdelon, un sourire en coin.

En levant les yeux vers le bastion* où le soldat est censé monter la garde, Marie le découvre en effet en train de somnoler, le menton appuyé sur son mousquet*.

— Entendu. Va le secouer! répond la mère en souriant à son tour.

Marie observe sa fille tandis que celle-ci grimpe quatre à quatre les marches jusqu'au bastion. Une bouffée de tristesse la soulève. À douze ans, avec ses boucles brunes et ses yeux profonds comme une eau calme, sa petite Magdelon ressemble de plus en plus à Antoine, son premier fils, tué par les Iroquois quatre ans auparavant. Il aurait dix-neuf ans cette année.

Madeleine revient avec le soldat.

— La nuit s'est bien passée. Pas d'alarme, rien à signaler madame, s'empresse de dire Casse-grain, un peu mal à l'aise d'avoir été surpris en pleine sieste. Votre fille me dit que vous voudriez peut-être faire une petite sortie ?

— Oui, mon brave. Et Magdelon insiste pour que vous m'escortiez.

— Elle a raison, votre fille, madame, dit Casse-grain en bombant le torse. Avec moi, vous n'avez rien à craindre. Vous ne pouvez pas être mieux protégée.

Madeleine barricade la lourde porte derrière eux et grimpe au bastion pour les observer. Casse-grain marche devant, sa mère suit à quelques pas derrière lui, son tablier* relevé, prêt à recueillir les pommes. Le soldat avance prudemment, le doigt sur la détente.

Ils s'arrêtent soudain. Un frémissement inhabituel dans les foins les a mis en alerte. Le soldat fait signe à Marie de reculer, épaule son mousquet et attend, prêt à tirer. Un lièvre émerge des hautes herbes, s'immobilise devant eux avant de disparaître par bonds dans les sous-bois. Madeleine pouffe de rire en apercevant Casse-grain s'élancer à sa poursuite,

excité à l'idée de manger de la viande sauvage. Le soldat s'enfonce dans les bois à la poursuite de l'animal. Un coup de feu éclate et son écho se répercute dans le ciel clair.

Tout à coup, le sang de Madeleine se glace dans ses veines. De la forêt vient de jaillir le terrible whoop-whoop des Agniers*. La jeune fille dégringole les marches et ouvre la porte à sa mère qui se précipite vers le fort en criant :

— Alerte! Alerte! Les Iroquois!

La mère et la fille barricadent les portes à toute vitesse. Les Sauvages* les épiaient donc pendant tout ce temps! François, l'époux de Marie, est parti avant-hier avec une partie de la garnison*. Les Agniers doivent savoir qu'il ne reste qu'une poignée d'hommes dans le fort. Il ne faut plus compter sur le pauvre Casse-grain, que Dieu ait son âme!

— Madeleine, va vite dans l'abri avec tes frères et sœurs. Vous resterez là tant qu'il y aura du danger.

Madeleine obéit à sa mère sans discuter, mais elle a sa petite idée. Il n'est pas question pour elle de rester enfermée sans rien faire, elle veut aider. Ainsi, une fois Alexandre, Angélique, Marguerite et Jean-Baptiste en sécurité, elle ordonne à Pierre :

— Surveille les petits. Je vais retrouver mère. Elle a besoin de moi.

— Mais… attends ! Je veux aider moi aussi !

— Toi, tu restes ici, c'est un ordre de mère !

Madeleine court rejoindre Marie Perrot. Avec sang-froid, celle-ci a pris les commandes du fort, envoyé les soldats L'Espérance et Vadeboncœur sur deux bastions et son fils François-Michel sur le troisième. Elle se hâte vers la redoute * pour quérir armes et munitions avant de grimper au quatrième bastion quand elle tombe sur Madeleine.

— Qu'est-ce que tu fais ici ? Je t'avais demandé de t'occuper des enfants ! Ce n'est pas une place pour toi. File te mettre à l'abri !

— Ils sont sous la garde de Pierre jusqu'à nouvel ordre. Je veux vous aider, mère. Je ne suis plus une enfant.

Marie hésite. Soudain une idée lui traverse l'esprit. Le canon ! Il faut avertir les voisins !

— Tu sais comment te servir du canon ?

— Oui, mère, je sais. Père nous en a fait plusieurs fois la démonstration à François-Michel et moi.

Le temps presse et les effectifs sont réduits. Marie n'a pas le choix.

— Va tirer le canon ! Il faut avertir nos voisins pour qu'ils sachent dans quel péril nous sommes. Espérons que les secours viendront assez tôt !

Elle tend un mousquet à sa fille :

— Et… veille à ce qu'aucun Sauvage ne pénètre de ton côté !

Un frisson de peur traverse Madeleine à l'idée de ce qui les attend s'ils sont pris par les Iroquois. Elle songe avec terreur aux tortures qu'ont décrites ceux qui ont réussi à s'échapper des Sauvages. Elle préférerait être tuée d'un coup de casse-tête* plutôt que d'être scalpée*, coupée en morceaux, rôtie à la broche ou arrachée à sa famille et emportée comme esclave*. Elle se secoue aussitôt. Ce n'est pas le temps de penser, il faut agir. Le mousquet à la main, elle grimpe à la plateforme et s'empresse d'exécuter les ordres de sa mère. Répétant fidèlement les gestes que son père lui a enseignés, elle bourre* le canon et met le feu à la mèche. Dans un bruit de tonnerre, la déflagration se répercute de rive en rive le long du Saint-Laurent.

Alertés par les coups de canon, Thomas de Crisafy arrive avec les renforts deux jours plus tard. Pendant quarante-huit longues heures, presque sans dormir, Madeleine Jarret et son frère aîné François-Michel auront défendu vaillamment le fort avec leur mère Marie Perrot.

Cette leçon se révèlera fort profitable à la jeune fille quand, deux ans plus tard, elle sera laissée à elle-même pour prendre la relève.

Chapitre 2

SOUPER À TROIS

MARDI, 21 OCTOBRE 1692

Le feu flambe dans le foyer, les soupes fument dans les bols. Hormis le crépitement des bûches, la pièce est silencieuse. Madeleine et son jeune frère Alexandre sont assis à la table, ils semblent attendre. Soudain, Madeleine s'écrie :

— Tu arrives, Pierre ? La soupe est servie. Sinon, nous commencerons sans toi !

Le garçon sort de la chambre en sautillant :

— Ah la la ! Tu m'as demandé de mettre des vêtements propres, je me dépêche, sois patiente, gémit-il en finissant d'ajuster son haut-de-chausse*.

Faisant la sourde oreille aux récriminations de son frère, Madeleine pointe les mains du jeune garçon, endurcies aux travaux des champs.

— Elles sont propres ?

— On ne pourrait pas avoir un peu de répit ? Ce n'est pas parce que nos parents sont partis que…

— Mère m'a dit en partant que j'étais responsable de vous. Puisque je suis l'aînée des Jarret de Verchères dans ce fort, tu dois m'obéir.

Pierre s'assoit en maugréant tandis qu'Alexandre regarde la scène, heureux de ne pas être à la place de son grand frère. Madeleine s'emporte facilement, une vraie soupe au lait, comme dit sa mère. Il ne veut pas être la cible de ses colères.

Laviolette dépose le pain sur la table.

— Merci, mon brave, dit Madeleine en copiant les manières de sa mère. Vous voulez souper avec nous ?

— Je vous remercie mam'zelle. J'ai déjà mangé. Bon appétit ! répond le domestique en réprimant un sourire.

Il va s'asseoir près de l'âtre et prend plaisir à observer les trois jeunes.

« Quel caractère, cette Magdelon ! La pomme ne tombe jamais loin de l'arbre… La fille de sa mère, vrai de vrai ! Regardez-moi ses deux jeunes frères qui lui obéissent au doigt et à l'œil. Pierre commence à se révolter, c'est bien du moins. C'est presque un homme, ce garçon ! Il peut regarder sa sœur dans les yeux à présent. On dirait même qu'il la dépasse. Mais la Magdelon n'entend pas lui céder son autorité pour autant. Et le petit Alexandre qui observe les deux autres sans dire un mot. Je serais bien curieux d'être dans sa tête à celui-là. Les yeux vifs, intelligent comme un renard, il attend son heure… Les autres ne perdent rien pour attendre. »

— Mère doit être arrivée à Montréal avec les petits à présent, lance Madeleine pour briser le silence.

— Ils sont partis ce matin, c'est certain qu'ils sont arrivés. Ils se régalent peut-être d'une délicieuse tourtière à l'heure actuelle ! rétorque Pierre en plongeant sa cuiller d'un air résigné dans la soupe au chou sur laquelle flottent des tranches de porc salé.

— Remercions Dieu pour le pain qu'il met sur notre table, dit Madeleine en lui jetant un regard sévère, mais ajoutant aussitôt, les yeux luisants de gourmandise: Mère nous rapportera sans doute des amandes séchées et d'autres friandises.

— Si les Sauvages ne les attrapent pas en route... souffle Alexandre, osant dire tout haut ce que tout le monde craint chaque fois que quelqu'un quitte le fort.

— Depuis que le nouveau gouverneur général de la Nouvelle-France, le comte de Frontenac, est revenu, les Iroquois n'osent plus nous attaquer. Je crois qu'il n'y a rien à craindre de ce côté affirme avec force Madeleine, comme pour se rassurer elle-même.

— Est-ce pour rencontrer le comte de Frontenac que père s'est rendu à Québec? interroge Pierre.

— Tout ce que j'en sais, c'est que c'est sur un ordre du gouverneur de Montréal, le chevalier de Callières, qu'il a dû partir pour Québec. Les hommes qui sont venus le chercher semblaient pressés.

— Dommage que mère ait été obligée de partir elle aussi! soupire Alexandre.

— Elle ne pouvait manquer à l'appel de son amie dame Mathilde, qui se trouve à l'article de la mort. Le passage à Ville-Marie de sa vieille amie de Québec, sœur Marie-Ursule Gariépy, a fourni la seconde raison qui a fait que, malgré ses hésitations à nous abandonner, mère a accepté de partir, précise Madeleine qui veut se montrer raisonnable.

— Et elle sait très bien que nous sommes assez grands pour nous débrouiller seuls, souligne Pierre avec conviction.

Un silence embarrassé suit son commentaire.

— Après le souper, nous prierons pour eux en attendant leur retour. C'est le mieux que nous puissions faire, conclut Madeleine en soupirant.

Dans son lit, Madeleine n'arrive pas à dormir. Elle envie Alexandre et Pierre qui ronflent à ses côtés. Si son grand frère François-Michel était ici, elle se sentirait plus en sécurité. Quand il est parti avec les autres pour combattre les Iroquois, au printemps de l'an dernier, il était enthousiaste, certain de vaincre ces barbares qui ne croient pas en Dieu. Il n'est jamais revenu. Madeleine pense à ses deux frères qui ont péri dans les mains des Iroquois et se demande, pour la millième fois, quels ont été leurs derniers moments ? François-Michel a-t-il vu succomber son oncle André Jarret et son beau-frère, le mari de sa pauvre sœur Marie-Jeanne, avant de mourir à son tour ? A-t-il souffert ? Elle frissonne à l'idée qu'il ait pu connaître la torture avant de rendre l'âme.

— Bon quart !

— Bon quart !

Comme pour apaiser ses inquiétudes, le cri des sentinelles résonne dans la nuit froide. Madeleine n'est pas la seule à veiller. Des soldats armés sont là pour les protéger. « Tout va bien et tout va bien aller, » murmure-t-elle tout bas.

Elle s'endort, bercée par le bruit rassurant des braises qui grésillent encore dans l'âtre de la salle à manger.

Chapitre 3

AUX ARMES !
AUX ARMES !

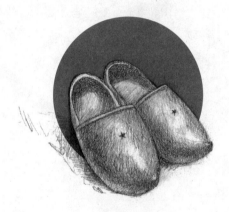

Madeleine est réveillée par l'air glacé qui règne dans la chambre. Elle se lève et s'habille en frissonnant. Sans perdre une seconde, elle enfile ses bas de laine, passe sa jupe par-dessus sa chemise de nuit, lace son justaucorps*, attache son tablier à la taille et son bonnet* sous son menton. Elle quitte la chambre en nouant son mouchoir de col* et se presse vers le foyer où ses sabots* l'attendent, réchauffés par le feu que Laviolette a allumé plus tôt. Le domestique* est déjà à l'œuvre.

— Bonjour Laviolette ! Brrr... Il fait froid ce matin. Qu'est-ce que vous nous préparez ? J'ai une faim de loup !

— Des crêpes si ça vous convient, mam'zelle !

Des crêpes avec du beurre et du sucre du pays*, un des plats préférés de Madeleine. La journée commence bien.

 — Vos frères dorment encore ?

— Ce n'est pas à leur habitude de se lever tôt, vous le savez bien, Laviolette, répond la jeune fille avec un sourire malicieux.

— Je vous sers tout de suite ?

— Dame, oui ! Nous avons beaucoup de travail à faire aujourd'hui, vous vous rappelez ? Il faut ramasser les potirons et les ranger dans le caveau à légumes. Il y a aussi une brèche à réparer dans la palissade. S'il fallait attendre Pierre et Alexandre, on n'aurait pas sitôt fait de commencer que la journée serait terminée !

— Tu parles trop, ma sœur, grogne Pierre qui apparaît dans l'embrasure de la porte. Les yeux bouffis de sommeil, Alexandre le suit en grelottant. Nous ne sommes pas si fainéants que tu le crois. Hier, j'ai aidé François Chagnon à assembler les pieux pour réparer la palissade, comme mère nous l'avait demandé. C'est ce que nous ferons ce matin, quand il reviendra des champs.

— À la bonne heure! s'exclame Madeleine, confuse d'avoir été surprise à parler en mal de ses frères. Nous passerons à table dès que vous serez habillés. La journée sera chargée, nous devons prendre des forces.

Après avoir avalé un copieux déjeuner, Madeleine s'apprête à quitter le fort pour aller ramasser des potirons avec Laviolette quand elle croise Galhet.

— Que faisiez-vous dehors? N'êtes-vous pas de garde à l'intérieur des murs ce matin?

— Je voulais juste causer avec Grosjean qui monte la garde aux champs. La Bonté est à son poste mam'zelle, voyez.

En effet, la silhouette du soldat La Bonté se découpe dans le ciel pur et froid.

— Laviolette, prenez votre mousquet, ordonne Madeleine. Et vous, Galhet, restez à la porte et soyez sur vos gardes.

— Il faut pas vous ronger les sangs de cette façon, mam'zelle. Les Agniers sont calmes depuis quelque temps. Ce serait bien de la malchance qu'ils se décident à nous attaquer aujourd'hui!

— Faites ce que je vous dis, rétorque sèchement Madeleine. Nous devons toujours être prêts. Suivez-moi, Laviolette.

En franchissant l'immense porte, la jeune fille inspecte les environs d'un air anxieux. Depuis la veille, le temps s'est considérablement refroidi et les herbes ploient sous une mince couche de givre. Sous l'effet du soleil, une brume légère monte du sol et nimbe les hommes de lumière dorée. Les vaches et leurs veaux broutent paisiblement, les cochons fouillent le sol en quête de nourriture. Au loin, le fleuve brille de mille éclats. Tout est calme. « Galhet a peut-être raison, pense Madeleine. Je m'en fais trop. »

En souriant, elle se hâte vers Laviolette qui l'attend déjà dans le carré de potirons, à quatre cents pas du fort.

À l'instant même où elle arrive à la hauteur du domestique, l'affreux cri de guerre des Iroquois s'élève des sous-bois. En un éclair, une quarantaine de féroces guerriers bondissent en hurlant. Avant qu'ils aient eu le temps de réagir, une vingtaine d'hommes, paysans et soldats, sont massacrés. Les Iroquois se lancent ensuite vers les bêtes affolées et les abattent sans pitié. C'est à cet instant qu'un guerrier aperçoit Madeleine. Il se lance aussitôt à sa poursuite.

— Sauvez-vous, mam'zelle, sauvez-vous ! hurle Laviolette.

Madeleine a déjà fait demi-tour et se précipite vers le fort. Dans son dos, les gémissements et les hurlements de rage continuent, mais elle n'entend plus que le martèlement des pas qui se rapprochent et les battements fous de son cœur.

« Vierge sainte, mère de mon Dieu, je vous ai toujours honorée et aimée comme ma chère mère, ne m'abandonnez pas dans le danger où je me trouve. Plutôt périr que de tomber entre les mains d'une nation qui ne vous connaît pas. »[2]

Elle hurle à pleins poumons:

– Aux armes ! Aux armes !

Aucune riposte à l'intérieur du fort. Au moment où elle va franchir les portes, l'Iroquois agrippe son mouchoir de col. D'un geste vif, elle en défait le nœud et se glisse à l'intérieur du fort en même temps que Laviolette. Ils ferment les lourdes portes à la face de l'ennemi qui reste dehors, le mouchoir brodé dans la main, furieux d'avoir laissé échapper son trophée le plus glorieux.

Des cris et des lamentations accueillent Madeleine à l'intérieur du fort. Catherine, la femme de François Charron, est effondrée et pleure toutes les larmes de son corps. Elle a vu son mari tomber sous les coups des Agniers. D'autres aussi viennent de perdre leur mari, leur fils ou leur père. Sans s'arrêter aux plaintes de ces malheureuses, Madeleine grimpe au bastion.

---

[2] Extrait de la lettre de Madeleine à madame de Maurepas

Chapitre 4

LE JOUR
LE PLUS LONG

Dans les cris et la fureur, la bataille fait encore rage sur les terres de Verchères. Des incendies brûlent un peu partout, la fumée s'élève des habitations en flammes, les bêtes, poursuivies par les Agniers, fuient dans toutes les directions. Les bastions ont été abandonnés. Galhet et La Bonté sont disparus. À côté d'un mousquet, elle aperçoit les chapeaux laissés par les soldats. Troquant prestement sa coiffe pour un chapeau, Madeleine s'empare du mousquet et passe d'une meurtrière* à l'autre, faisant feu chaque fois pour faire croire que le fort est bien gardé.

— Magdelon, qu'est-ce qu'on va faire ?

Alexandre est derrière elle et la regarde, tremblant de peur.

— Trouve Galhet et La Bonté au plus vite. Il faut que les mousquets retentissent de tous les côtés.

Voyant que son frère hésite, elle lui met un chapeau sur la tête et place l'arme entre ses mains :

— Tiens ! Fais en sorte que les Iroquois te prennent pour un soldat. Je vais chercher les autres.

Dans la cour intérieure, les femmes se sont organisées. Les plus fortes soutiennent les plus affligées. Parmi elles, un vieillard tente de se rendre utile en consolant les enfants. Madeleine ordonne au groupe :

— Allez à l'abri ! Vous y serez en sécurité.

 Soudain, une pensée lui traverse l'esprit. La brèche dans la palissade ! Il faut la réparer de toute urgence. Si jamais les Iroquois la découvrent. c'en est fini de la seigneurie

de Verchères. Madeleine entraîne l'homme âgé avec elle. Il n'y a pas une seconde à perdre! Elle se précipite sur les lieux et découvre avec soulagement que son frère Pierre est déjà à l'œuvre. Il y a pensé, lui aussi. Il s'affaire avec Laviolette à remplacer les pieux défectueux.

— Aidez-les, ça ira plus vite, commande-t-elle au vieillard. Et vous, Laviolette, dès que ceci sera terminé, allez à la cuisine, je vous prie. Il faut ranimer le feu et préparer à manger pour tout le monde. Vous ferez aussi cuire le pain au fournil*. Les Sauvages sauront que la vie continue ici.

La jeune fille se dirige ensuite vers la redoute où elle découvre Galhet et La Bonté.

— Que faites-vous ici?

— On… on est venus chercher des munitions, bégaie La Bonté.

— Pourquoi tenez-vous cette mèche allumée dans votre main, alors? demande-t-elle, alarmée soudain.

— C'est pour nous faire sauter, s'écrie Galhet. Plutôt mourir que de tomber aux mains des Sauvages!

— Malheureux! Sortez d'ici, je vous l'ordonne! Battons-nous jusqu'à la mort. Nous combattons pour notre patrie et pour la religion. Souvenez-vous des leçons que mon père vous a si souvent données. Les gentilshommes ne sont nés que pour verser leur sang pour le service de Dieu et du Roy. [3]

Madeleine parle aux soldats avec une telle fougue que ceux-ci reprennent courage. S'emparant de toutes les

---

[3] Extrait de la lettre de Madeleine à madame de Maurepas

armes qu'ils trouvent, ils retournent aux bastions. Il était temps! Les Iroquois sont au pied du fort. Agiles comme des écureuils, les plus intrépides ont déjà commencé à grimper le long des pieux. Les soldats les refoulent à coups de mousquets.

C'est alors que Madeleine se rappelle ce que sa mère lui a enseigné. Le canon! Il faut appeler du secours.

Elle s'élance à fond de train vers le bastion où se trouve le canon, le bourre à toute vitesse et allume la mèche. La détonation est si puissante que la palissade tremble sous l'impact. L'explosion produit l'effet escompté. Épouvantés, les Iroquois s'enfuient dans tous les sens et s'évanouissent dans les bois.

Madeleine sait qu'il ne faut pas se fier à ce répit soudain. Avec l'expérience, les colons ont compris la méthode des Sauvages : furtifs et silencieux, ils peuvent disparaître aussi rapidement qu'ils sont apparus et attendre jusqu'à ce qu'une occasion se présente pour bondir à nouveau. Madeleine et les siens doivent continuer de faire croire à l'ennemi qu'une importante garnison défend le fort.

Chapitre 5

ARRIVÉE IMPRÉVUE

Alors que Madeleine va redescendre pour encourager ses troupes, un coup de feu éclate sur le fleuve. En plissant les yeux, elle distingue au loin l'embarcation de Pierre Fontaine en train d'accoster. Elle se rappelle alors que son voisin devait partir tôt ce matin pour Montréal avec sa petite famille. Avec les Iroquois embusqués entre la rive et le fort, les Fontaine sont en danger.

— Galhet! La Bonté! crie-t-elle. Lequel de vous ira au-devant de Pierre Fontaine?

— Il n'est pas déjà parti? s'étonne Galhet.

— Il est en train de débarquer avec sa femme et ses enfants.

— Qui veut aller à leur rencontre ?

Un silence de mort répond à sa demande. Le temps file, des vies sont menacées. Madeleine comprend que le sort des Fontaine est entre ses mains. Pierre et Laviolette ont fini de réparer la palissade et ils arrivent au pas de course. D'un ton qui n'accepte aucune riposte, la jeune fille lance ses ordres :

— Pierre, grimpe au bastion ! Gardez tous l'œil ouvert et n'hésitez pas à tirer si vous voyez le moindre mouvement dans les buissons. Les Iroquois doivent croire qu'ils ont plus à craindre de nous que nous d'eux. Laviolette, faites sentinelle à la porte. Ne l'ouvrez qu'à notre retour. Si nous sommes tués, barricadez-vous et continuez à défendre le fort jusqu'à l'arrivée des secours.

 Au moment de sortir, Madeleine ajuste son chapeau de soldat, se redresse de toute sa grandeur et inspire profondément. Le fusil à la main, elle murmure entre ses dents :

— À la grâce de Dieu !

Puis, d'un pas déterminé, elle descend vers le fleuve. Pierre Fontaine monte à sa rencontre :

— Magdelon ! Que se passe-t-il ? J'ai entendu des coups de feu et, sachant vos parents absents, je suis revenu aussi vite que j'ai pu pour vous venir en aide.

— C'est Dieu qui vous envoie ! En effet, nous avons grand besoin d'aide. Mais rentrons d'abord au fort avec autant d'assurance que si une garnison de cent hommes nous y attendait.

— Qu'est-ce que vous dites, Magdelon ? s'inquiète l'épouse du sieur Fontaine. Sommes-nous en danger ?

— Ne montrez pas de frayeur, je vous en prie, dame Marguerite. Avançons sans tarder. Allez devant, je vous suis.

Le doigt sur la gâchette, Fontaine prend les devants. Marguerite le suit, un bébé dans les bras, les plus jeunes de ses enfants agrippés à son châle et les grands derrière à la queue leu leu. Madeleine ferme la marche, les sens en alerte.

Les Iroquois se laissent prendre à la feinte de l'intrépide jeune fille. Ils n'osent pas se montrer le nez.

Le groupe atteint le fort sans encombre au grand soulagement de Laviolette qui se hâte de barricader la porte derrière eux.

Au bord de la crise de nerfs, Marguerite manque de défaillir quand elle entend son mari murmurer à Magdelon :

— Ils vont attendre la tombée du jour pour nous attaquer, nous devons être prêts.

— Pierre, je ne veux pas rester ici ! Je ne veux pas mourir ! Je ne veux pas que mes enfants soient tués par les Sauvages. Partons, je vous en supplie ! sanglote-t-elle.

— Ma chère femme, je ne peux quitter maintenant. Si le fort de Verchères est menacé, c'est mon devoir de le défendre. Vous enfuir vous exposerait à un péril plus grand que celui qui vous guette en restant ici.

— Sieur Fontaine, emmenez les vôtres à l'abri, ordonne Madeleine d'un ton sans réplique. Les pleurs de votre épouse pourraient faire croire à nos ennemis que nous les craignons.

Revenue à son poste, une idée lui vient à l'esprit. Prenant une voix d'homme, elle crie:

— Bon quart!

Pierre comprend la stratégie de sa sœur. D'une voix grave, il lui répond:

— Bon quart!

La Bonté fait écho à Pierre suivi par Galhet.

La journée la plus longue des habitants de Verchères s'écoule ainsi, les uns relayant les autres entre la redoute et les bastions, les cris répondant aux cris. Le fort semble grouillant de soldats.

Il fait nuit noire quand Pierre Fontaine vient relever Madeleine:

— Vous devez prendre des forces, Magdelon.

— Je n'ai pas faim et je n'ai pas le temps de…

— Permettez-moi d'insister. La nuit qui vient sera longue. Le fort de Verchères aura besoin de son commandant.

— D'accord, j'accepte, cède la jeune fille. Merci.

Après avoir fait la tournée des postes et s'être assurée que tout était en ordre, Madeleine entre chez elle. Elle est accueillie par l'odeur réconfortante de la soupe aux pois qui mijote sur le foyer. Une bouffée de tristesse l'envahit.

La situation a évolué tellement vite depuis la veille! Elle se revoit avec ses frères alors qu'ils soupaient gaiement. C'était hier! Où sont ses parents en ce moment? Ils ignorent certainement la menace qui pèse sur leurs enfants. Est-ce que l'appel au secours a été entendu? Et si les forts voisins avaient été attaqués en même temps que Verchères? Les Agniers les dépassent largement en nombre et en force. Pourront-ils leur résister longtemps?

Madeleine dépose son chapeau sur la table et secoue ses mèches brunes pour se débarrasser de ces sombres pensées. Pour l'heure, il faut manger, prendre des forces et se battre jusqu'au bout, quoi qu'il advienne. C'est tout ce qui compte.

Chapitre 6

LA NUIT
LA PLUS LONGUE

Son repas englouti, elle s'en retourne dehors. Elle est surprise par la bise glacée qui s'est levée. Poussés par le nordet*, des nuages blancs ont envahi le ciel et une neige mêlée de grêle lui fouette le visage.

Des coups de feu retentissent dans la nuit.

— Ils profitent de la noirceur pour s'approcher de nous, grogne Pierre Fontaine quand elle arrive à ses côtés.

— Allez dans l'abri avec La Bonté et Galhet. Vous devez protéger les femmes et les enfants quoiqu'il advienne. Dites à mes frères, Alexandre et Pierre, et au jeune homme de quatre-vingt ans qu'ils garderont le fort avec moi. Si nous sommes capturés, ne vous rendez jamais même si nous sommes brûlés et hachés en pièce devant vos yeux. [4]

Concentrée sur la nuit qui s'étale devant elle, ses yeux perçoivent tout à coup des ombres qui avancent vers le fort. Elle charge et tire sans hésiter. Aussitôt, les silhouettes se dispersent de chaque côté.

Que préparent donc ses ennemis ?

— Bon quart ! lance-t-elle de sa voix grave.

— Bon quart ! répond Pierre.

— Bon quart ! répète le vieillard.

Une quatrième voix répond aux autres quelques secondes plus tard. Madeleine ne peut s'empêcher de sourire en entendant la voix enrouée d'Alexandre. Elle est fière de son petit frère. À dix ans, il montre une détermination dont elle n'avait pas soupçonné l'existence jusqu'à aujourd'hui.

Une partie de la nuit se passe ainsi du fort à la redoute et de la redoute au fort, ponctuée par les « Bon quart ! ».

Tout à coup, un cri déchire la nuit :

— Mam'zelle, j'entends quelque chose !

Madeleine scrute les ténèbres et découvre, au pied de la palissade, les bêtes qui ont échappé au massacre et qui piétinent le sol recouvert de neige en attendant qu'on les fasse entrer.

— Il faut leur ouvrir la porte ! s'exclame le vieil homme.

— À Dieu ne plaise, rétorque Madeleine. Ce peut être une ruse des Sauvages. S'il y a lieu, ils se sont camouflés avec les peaux des bêtes mortes.

---

[4] Extrait de la lettre de Madeleine à madame de Maurepas

Pendant un moment, elle observe les animaux du haut des airs. Ceux-ci ne semblent pas agités, c'est bon signe. Si les Iroquois s'y étaient faufilés, ils seraient plus nerveux.

— Faisons-les entrer. Pierre, Alexandre, gardez l'œil ouvert et soyez prêts à tirer !

Madeleine se place à l'entrée, presse le pas des bêtes épuisées et, avec l'aide du vieil homme, elle referme rapidement les portes sur le dernier animal.

— Allons, à nos postes, vite !

La nuit se passe sans autre incident. À mesure que le soleil se lève, Madeleine reprend courage. Elle rassemble ses troupes.

— Puisque avec le secours du ciel nous avons bien passé cette nuit, tout affreuse qu'elle ait été, nous pourrons bien en passer d'autres en continuant notre bonne garde, faisant tirer le canon d'heure en heure pour avoir du secours de Montréal, qui n'est éloigné que de huit lieues.*[5]

Le discours de Madeleine redonne confiance au groupe. Marguerite Anthiome, elle, n'est pas rassurée pour autant.

— Nous avons été chanceux d'échapper à la fureur des Sauvages une première nuit, mais il ne faut pas tenter le diable. Je veux partir à Contrecœur, mon mari. Il n'y a pas d'hommes pour garder le fort de Verchères. C'est trop périlleux d'y demeurer un jour de plus.

— Chère femme, je vais armer notre canot d'une bonne voile et vous pourrez partir avec vos aînés, qui savent bien naviguer. Quant à moi, je n'abandonnerai pas le fort de Verchères tant que mademoiselle Magdelon y sera.

 — Je n'abandonnerai jamais le fort, monsieur. Plutôt périr que de le livrer à l'ennemi, répond la fougueuse Madeleine.

Désespérée d'être entendue, Marguerite va s'enfermer dans l'abri en pleurant.

Les postes sont à nouveau distribués et chacun se relaie aux bastions, à la redoute ou à l'abri. Alexandre et Pierre se chargent de faire en sorte qu'aucune sentinelle ne manque de munitions, Laviolette s'occupe des vivres. Alerte et de belle humeur, Madeleine passe de l'un à l'autre, s'assurant que tout va bien.

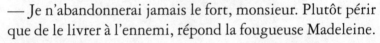

D'heure en heure, on tire le canon.

À la nuit tombée, obéissant au sieur Fontaine, Madeleine va prendre quelques instants de repos. À bout de forces, elle s'endort sur la table du manoir, le fusil en travers des bras.

---

[5] Extrait de la lettre de Madeleine à madame de Maurepas

Soudain, un cri est lancé en provenance des remparts:

— QUI VIVE ?

La porte du manoir s'ouvre brusquement. C'est Galhet qui lui lance:

— On entend parler sur l'eau !

Madeleine est déjà debout. Elle se hâte vers le poste de garde tout en se demandant à qui elle va avoir à faire? Français ou Iroquois ?

— QUI ÊTES-VOUS ? hurle-t-elle en direction du fleuve.

— FRANÇOIS*, lui répond-on de la rive. C'EST LA MONNERIE ENVOYÉ PAR M. DE CALLIÈRES QUI VIENT AVEC SES HOMMES VOUS DONNER DU SECOURS.[6]

---

[6] Extrait de la lettre de Madeleine à madame de Maurepas

Le cœur de Madeleine se met à battre à tout rompre.

— Ouvrez la porte et surveillez l'entrée, ordonne-t-elle aux sentinelles. J'y vais !

D'un pas ferme, elle descend à la rencontre des soldats français. Arrivée à leur hauteur, elle soulève le chapeau qui ne l'a pas quittée depuis deux jours et elle accueille son sauveur en disant:

— Monsieur, soyez le bienvenu. Je vous rends les armes.

Rempli d'admiration pour la demoiselle de quatorze ans qui se tient devant lui, le sieur de la Monnerie lui répond:

— Elles sont entre bonnes mains.

— Meilleures que vous ne le croyez, réplique la vaillante Madeleine.[7]

L'étonnement du lieutenant ne connaît plus de bornes quand il découvre le fort en bon état, une sentinelle à chaque bastion. Et quelles sentinelles ! Un soldat, un vieillard, et deux jeunes garçons, l'un âgé de douze ans et l'autre de dix. Pierre Fontaine et Galhet viennent se joindre à eux.

— Voilà notre garnison, dit fièrement Madeleine devant l'air stupéfait de la Monnerie. Veuillez faire relever mes sentinelles afin qu'elles puissent prendre un peu de repos. Nous n'avons pas dormi depuis deux jours.

— Vos parents pourront être fiers de vous, mademoiselle. Au nom du roi et de la colonie, je vous félicite pour votre courage, lui déclare-t-il sur un ton de profonde admiration.

---

[7] Extrait de la lettre de Madeleine à madame de Maurepas

Madeleine a gagné son pari et sauvé les siens d'une mort affreuse. Se sachant en sécurité, elle peut maintenant songer à la joie qu'elle aura bientôt de revoir ses parents et de serrer dans ses bras ses jeunes frères et sœurs.

SEPT ANS
PLUS TARD

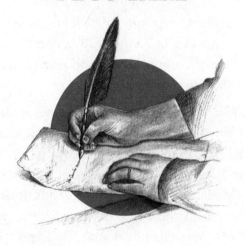

En 1699, comme la plupart des familles, la famille Jarret de Verchères vit pauvrement. Bien que François Jarret, Marie et leurs enfants travaillent fort pour gagner leur pain quotidien, la vie est difficile pour tous.

Sept ans presque jour pour jour après son exploit, Madeleine décide d'écrire une lettre à madame de Maurepas dont le mari, le comte de Maurepas, est contrôleur général des finances* pour la France.

« (...) Quoique mon sexe ne me permette pas d'avoir d'autres inclinations que celles qu'il exige de moi, cependant, permettez-

moi, madame, de vous dire que j'ai des sentiments qui me portent
à la gloire comme à bien des hommes. (...) »

Son but est de faire valoir, puisqu'elle a défendu comme un soldat les terres du Roi de France en 1692, qu'elle serait en droit de recevoir une solde*, au même titre que les soldats. Cependant, explique Madeleine, si le fait d'être une femme empêche la comtesse d'honorer sa demande, elle fait la requête d'obtenir pour son jeune frère un poste d'enseigne* dans le régiment.

Grâce à l'audacieuse requête de Madeleine, Pierre obtient le poste qu'elle a réclamé pour lui. De plus, à la mort de son père en 1700, la solde de François Jarret est transférée à Madeleine à la condition qu'elle subvienne aux besoins de sa mère. Madeleine tient promesse et administre si bien la seigneurie que, lorsqu'elle se marie, à l'âge de vingt-huit ans, elle apporte avec elle une dot de 500 livres*, toute une somme !

Sa mère, Marie Perrot, s'éteint le 30 septembre 1728, à l'âge de soixante-douze ans.

8 Extrait de la lettre de Madeleine à madame de Maurepas

Chapitre 8

SEIGNEURESSE
DE LA PÉRADE

Madeleine poursuit sa vie de jeune fille indépendante, fréquentant les jeunes gens de la noblesse comme c'est l'usage. C'est ainsi qu'elle se laisse courtiser par Pierre-Thomas Tarieu de Lanaudière, lieutenant d'une compagnie des troupes de la Marine et propriétaire d'une des plus belles seigneuries de la Nouvelle-France. Après de longues fréquentations celui-ci la convainc de le prendre pour époux. La dot de plusieurs milliers de livres et l'usufruit* sa vie durant des terres seigneuriales de Pierre-Thomas, terres qui s'étendent sur trente-cinq lieues, pourraient laisser croire que Madeleine fait un mariage de raison*, ce qui est courant chez les nobles à cette l'époque. Mais en devenant la seigneuresse de la Pérade, Madeleine de Verchères ne laisse pas son cœur derrière elle. Ne craignant rien ni personne, elle soutient avec amour son mari et va toujours le défendre avec l'ardeur qu'on lui connaît.

Le 8 septembre 1706, leur mariage est célébré à Verchères et Madeleine emménage à Sainte-Anne-de-la-Pérade à cinquante-deux lieues de sa ville natale. Sa nouvelle vie commence.

Le 3 juillet 1707 naît Marguerite-Marie-Anne Tarieu de Lanaudière. Trois ans plus tard, Charles-François Xavier vient au monde. Madeleine a la douleur de perdre ensuite deux enfants, Louis-Joseph, né en 1714 et décédé en bas âge, et Marie-Madeleine, décédée le lendemain de sa naissance, le 19 novembre 1717. Jean-Baptiste-Léon grossit les rangs de la petite famille en 1720.

Fille de seigneur, l'énergique Madeleine a bien appris de sa mère les devoirs d'une seigneuresse.

Elle s'occupe de sa famille, voit à l'administration et à l'entretien du domaine et des terres. Elle est aussi chargée de gérer les biens et les gens qui travaillent sur son domaine. Ceux qui travaillent pour les seigneurs sont des engagés* des domestiques ou des esclaves.

Marie-Madeleine Renard, une panisse*, est esclave chez les Tarieu de Lanaudière. Ces derniers l'ont achetée alors qu'elle n'était qu'une enfant pour l'ajouter à la quinzaine d'esclaves dont ils étaient déjà propriétaires. À l'âge de dix-huit ans, la sauvagesse frôle la mort et le curé s'empresse de la baptiser du nom de sa maîtresse, Marie-Madeleine.

En 1726, Marie-Madeleine a vingt-neuf ans. Un voisin des Tarieu de Lanaudière, Pierre Chauvette dit La Gerne, veuf dans la quarantaine, s'éprend de la belle Amérindienne. Par une douce nuit de juillet, il parvient à se faufiler discrètement chez ses voisins et il enlève sa bien-aimée. La pleine lune complice éclaire les pas des fugitifs à travers la forêt jusqu'à leur nid d'amour. Une ordonnance est aussitôt publiée

enjoignant les officiers de milice* de rattraper l'esclave et de la retirer des mains du nommé La Gerne. La fugitive est rapidement dénichée et elle doit retourner chez ses maîtres.

Pierre Chauvette ne se tient pas battu pour autant. Il demande à la seigneuresse de lui céder son esclave. Madeleine obtempère au désir de l'amoureux et le 7 novembre suivant, Marie-Madeleine Renard et Pierre Chauvette unissent leur destin à Beauport.

De santé fragile, le seigneur de La Pérade a un mauvais caractère qui fait qu'il se retrouve souvent au cœur de litiges qui l'amènent devant le tribunal. Madeleine est toujours à ses côtés et va même le représenter à maintes reprises. Énergique, elle est de toutes les batailles pour protéger son époux.

....

 Comme un certain soir de 1722.

Ce soir-là, deux énormes Abénakis* ayant probablement abusé de l'eau-de-feu* arrivent chez le seigneur pour lui chercher querelle. La Pérade leur ordonne en iroquois de sortir de sa maison. Alors qu'il croit les Abénakis partis, le seigneur entend crier du tambour* de la maison:

— Tagarianguen[9], tu es mort.

Les deux Abénakis reviennent à la charge, l'un armé d'un casse-tête et l'autre d'une hache et ils défoncent la porte. L'homme à la hache saute sur la Pérade qui évite de justesse le coup mortel. Affaibli par la maladie, le seigneur perd rapidement ses forces dans la lutte qui s'ensuit. Heureusement, attiré par le tumulte, un homme de la maison se jette dans la mêlée et immobilise l'homme à la

---

[9] Le nom iroquois de Tarieu

hache. L'autre Abénaki se précipite alors sur la Pérade, son casse-tête à bout de bras. Madeleine bondit sur lui. En se débattant comme une tigresse, elle lui arrache l'arme des mains et lui en assène un solide coup sur les reins. Tandis que l'homme s'effondre à ses pieds, quatre sauvagesses sautent sur elle et l'entraînent vers le foyer, l'une la tenant par la gorge, l'autre par les cheveux. Alerté par les cris, son fils Charles-François surgit à l'instant où Madeleine va être jetée dans les flammes. Attrapant ce qu'il trouve au passage, le garçon frappe de toutes ses forces sur les femmes jusqu'à ce qu'elles lâchent prise. Les Indiennes se rabattent aussitôt sur la Pérade qui, avec la hache, menace un des Abénakis. Madeleine vole au secours de son époux. Folle de rage, elle attrape l'Abénaki par les cheveux :

— Tu es mort, je veux avoir ta vie.

L'homme de la maison, qui semble avoir retrouvé son calme, élève alors la voix:

— Madame, ce Sauvage demande la vie, je crois qu'il faut la lui laisser.

Réalisant qu'ils sont redevenus maîtres de la situation, les Tarieu de Lanaudière jugent qu'il est plus glorieux de laisser la vie à leurs ennemis vaincus.

Madeleine a sauvé la vie de son époux. Son fils de douze ans, digne de sa mère, vient de sauver la sienne.

Chapitre 9

L'HÉRITAGE
DE MADELEINE

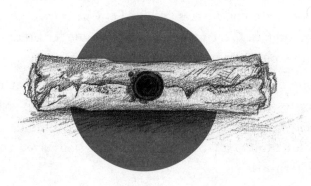

Dans les débuts de la Nouvelle-France, plus d'une femme s'est trouvée, comme Madeleine ou Marie Perrot, forcée de prendre les armes pour défendre son foyer. En 1692, d'ailleurs, c'est à peine si Callières fait mention de l'événement dans un rapport rédigé peu de temps après, dans lequel il écrit sobrement que les ennemis ont fait des prisonniers à Verchères et tué quelques personnes. Frontenac lui-même ne l'apprend qu'un an plus tard. Il décide alors de rendre hommage à cette famille qui a vaillamment défendu les terres du Roy. C'est ainsi qu'il porte le nouveau-né des Jarret de Verchères sur les fonts baptismaux* et lui donne son nom.

En 1699, encouragée par Bacqueville de la Potherie, Madeleine se décide à décrire son aventure à madame de Maurepas. La Potherie est fasciné par le courage de la jeune femme et se plaira lui-même à raconter à sa manière cette histoire extraordinaire. Vingt-sept ans plus tard, Madeleine rédige à nouveau une version plus longue et plus complète du combat mené en 1692 et elle l'envoie encore à madame de Maurepas. C'est grâce à ces lettres que les prouesses de la jeune pionnière sont parvenues jusqu'à nous.

À une époque où les femmes devaient se soumettre aux autorités paternelle et cléricale, Madeleine de Verchères, devenue seigneuresse de La Pérade, a continué de défendre ses droits, ses biens et ceux des siens avec courage et détermination.

Le 8 août 1747, après une vie de combat, elle rend l'âme dans son manoir de Sainte-Anne-de-la-Pérade et on l'ensevelit sous le banc seigneurial dans l'église paroissiale. Un nombre impressionnant de prêtres et d'amis viennent lui rendre un dernier hommage.

Thomas-Pierre Tarieu de Lanaudière la suivra dans la tombe dix ans plus tard.

La sépulture de cette héroïne de la Nouvelle-France a disparu sous les décombres de l'ancienne église. Cependant, Madeleine de Verchères demeure parmi nous grâce à l'effigie érigée en 1913 sur l'emplacement du fort de Verchères. L'immense bronze, œuvre du sculpteur Louis-Philippe Hébert, a été commandé par le gouvernement canadien qui voulait que cette « Statue de la liberté du Canada » salue les bateaux qui arrivaient dans la métropole.

La fine silhouette au regard volontaire veille encore aujourd'hui sur les eaux du Saint-Laurent. Fusil à la main, chapeau militaire sur la tête, les yeux rivés sur le fleuve, Madeleine de Verchères demeure à jamais la gardienne des terres du Roy et de la Nouvelle-France.

Crédit photo : Suzanne Gingras

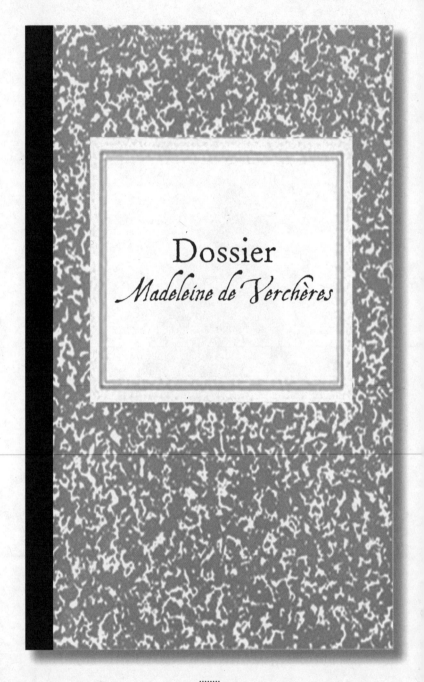

Dossier
Madeleine de Verchères

GLOSSAIRE DES MOTS DE L'ÉPOQUE DE MADELEINE DE VERCHÈRES

Abénakis : confédération algonquine qui habitait le long du littoral du Maine actuel.

Bastion : structure en forme de pointe qui s'avance vers l'extérieur, vers l'ennemi qui s'approche.

Bourrer : mettre la bourre. La bourre est ce que l'on place derrière la charge pour la maintenir dans le canon.

Bonnet : couvre-chef qui se noue sous le menton.

Casse-tête : massue grossière servant d'arme de guerre.

Censitaire : colon exploitant une terre et devant payer le cens à son seigneur.

Colon : celui qui s'installe dans une colonie.

Contrôleur général des finances : chargé d'administrer les finances royales en France.

Dépendance : bâtiment annexe du bâtiment principal.

Domestique : serviteur, employé de la maison.

Eau-de-feu : alcool que les marchands diluaient avant de le donner aux Autochtones.

Engagé : travailleur rémunéré.

Esclave : homme ou femme forcé de travailler sans rémunération.

Enseigne : grade militaire de la marine en France.

Feu et lieu : ensemble de conditions imposées aux seigneurs et aux colons comme bâtir une habitation et y habiter.

Fonts baptismaux : bassin destiné à l'eau consacrée pour le baptême.

Fournil : pièce où se situe le four à pain et l'endroit pour pétrir la pâte.

Fort : lieu fortifié destiné à protéger un ensemble d'habitations

Haut-de-chausse : culotte qui descend jusqu'aux genoux.

Iroquois, Agniers : ceux qu'on appelle aujourd'hui Mohawks.

Justaucorps : veste courte.

Laiterie : bâtiment où le lait issu de la traite est transformé en produits laitiers.

Livre : ancienne monnaie française. Une livre vaut 20 sols, un sol vaut 12 deniers. Un homme engagé gagne entre 100 et 120 livres par année, un pain de 500 grammes coûte environ 4 sols et un bœuf, 100 livres environ.

Lieue : une lieue terrestre mesure 4,444 km et une lieue marine 5,556 km.

Mariage de raison : un mariage contracté pour des considérations d'argent ou de territoire.

Meurtrière : fente verticale pratiquée dans un mur de fortifications.

Milice : armée auxiliaire composée de colons qui assurent la défense des villes et des villages.

Mouchoir de col : pièce de tissu qui recouvre les épaules et qu'on attache sur le devant.

Mousquet : ancêtre du fusil.

Moyen Âge : période comprise entre le 5e et le 15e siècle.

Nordet : expression de la marine qui désigne le vent froid du Nord-Est.

Palissade : mur composé de troncs d'arbres de petite à moyenne taille, alignés verticalement, sans espacement entre eux.

Panis(se) : tribu algonquine établie à l'ouest du Mississipi.

Rappelés : Soldat revenu d'un pays étranger. Les soldats envoyés en Nouvelle-France étaient rappelés en France à la fin de leur service.

Redoute : petit fort isolé où les munitions sont enfermées.

Sabots : chaussures taillées dans le bois.

Sauvages : terme qui désignait les Autochtones, en allusion à la nature sauvage dans laquelle ils vivaient par opposé au monde civilisé.

Scalper : enlever le cuir chevelu à l'aide d'un instrument tranchant. Avec l'arrivée des Européens, le scalp devient une monnaie d'échange. Après des années d'hésitation, les Français décident d'imiter les Anglais et les Hollandais et de profiter de cette pratique pour éliminer leurs rivaux. Ils offrent une prime en argent à leurs alliés amérindiens pour chaque scalp.[10]

Solde : salaire des soldats, d'où l'origine du mot solde.

Sucre du pays : sucre d'érable.

Tablier : vêtement que l'on met pour protéger ses vêtements. Le tablier avait plusieurs usages autrefois. En le relevant, la femme pouvait y enfouir fruits et légumes ramassés au potager. Il servait d'essuie-tout, mouchait le nez des plus vieux et essuyait les larmes du poupon.

Tambour : balcon fermé, couvert mais non chauffé, généralement situé à l'arrière des édifices ou des habitations.

Usufruit : droit d'utiliser un bien et d'en percevoir les revenus, par exemple, encaisser un loyer, le fruit des récoltes, etc.

---

[10] « (...) rien n'étoit à la vérité plus triste que d'être dans des inquiétudes continuelles de se voir enlever sa chevelure à la porte de sa maison »
C. C. Bacqueville de la Potherie, Voyage de l'Amérique (Amsterdam, Chez Henry des Bordes, 1723), II : 123

QUELQUES CONTEMPORAINS
DE MADELEINE DE VERCHÈRES

Louis XIV (1638 — 1715) fils de Louis XIII et d'Anne d'Autriche. Pendant son règne, les guerres qu'il mène en Europe agrandissent son territoire, mais les défaites et ses ambitions sans limites l'obligent à délaisser ses colonies pour défendre ses conquêtes en Europe. C'est la détermination des gouverneurs et intendants qui se succèdent en Nouvelle-France pendant son règne qui va sauver la jeune colonie.

Louis Buade comte de Frontenac (Paris 1622 — Québec 1698) Gouverneur général de la Nouvelle-France, nommé en 1672. À cause de son caractère bouillant qui suscite des luttes de pouvoir et ravive les tensions avec les Iroquois, il est rappelé en France après dix ans, mais il revient en 1689. Lorsque la flotte de William Phips vient assiéger Québec en 1690 à la suite des attaques des villages anglais, commandées par Frontenac, celui-ci répond à l'émissaire de Phips venu le sommer de se rendre : « Je n'ai point de réponse à faire à votre général que par la bouche de mes canons (…) ; qu'il fasse du mieux qu'il pourra de son côté, comme je ferai du mien. »

Louis-Hector de Callière (Normandie 1648 — Québec 1703) Gouverneur de Montréal, gouverneur général de la Nouvelle-France et chevalier de l'ordre de Saint-Louis. Callière est un gouverneur respecté par le peuple, qui lui obéit, mais son comportement autoritaire fait qu'il n'est pas très aimé. C'est l'un des principaux artisans de la victoire française pendant la deuxième guerre contre les Iroquois. C'est lui qui, avec Kondiaronk, négocie la Grande Paix de 1701.

Kondiaronk dit Le Rat (env.1649 - 1701) Chef incontesté de la nation huronne, Kondiaronk comprend qu'un traité de paix globale entre les peuples est essentiel à la survie de sa nation. Il convainc les nations de se rassembler pour signer un traité de paix. Grâce à son travail acharné, le traité de la Grande Paix est signé à Ville-Marie en 1701. À quelques jours de la signature, Kondiaronk tombe gravement malade. Affaibli par la fièvre, le 1er août, jour de la signature du traité, il fait un discours captivant de deux heures avant d'être transporté à l'hôpital de la rue Saint-Paul où il rend l'âme le lendemain. Français, Hurons et Iroquois lui rendent un hommage touchant après quoi son corps est inhumé sous l'église Notre-Dame. Il ne reste plus de traces de la tombe de Kondiaronk, mais on suppose qu'elle se trouve quelque part sous la place d'Armes ou dans les environs.

Jean Talon (1626 — 1694) Intendant de la Nouvelle-France de 1665 à 1668 et de 1670 à 1672. Quand Talon arrive en Nouvelle-France, la colonie est pauvre et désorganisée. Les mesures que prend l'intendant contribuent largement au développement de la colonie. Il offre des terres aux soldats du régiment de Carignan-Salières et fait venir les Filles du Roy. Il crée des mesures pour encourager l'économie et développer l'agriculture, la pêche, l'exploitation forestière et le commerce des fourrures. Sous son intendance, la population du Canada passe de 3,215 à 7,605 âmes.

Régiment de Carignan-Salières. Premier envoi de troupes royales qui viennent défendre les établissements de la Nouvelle-France à l'été 1665. Leur arrivée change complètement la situation de la colonie. On peut donner aux villes des garnisons convenables et construire des forts pour bloquer la rivière Richelieu, route des Iroquois.

Pierre Fontaine dit Bienvenu arrive en Nouvelle-France vers 1687 avec la compagnie de Louvigny. Après la mort de son ami, André Jarret de Beauregard en 1691, il épouse sa veuve,

Marguerite Anthiome, pour lui offrir son soutien et être un père pour ses cinq enfants, âgés de trois mois à dix ans.

Filles du Roy. L'implantation en Amérique de la nation canadienne française est très redevable à ces femmes courageuses et travaillantes. Entre 1663 et 1673, des femmes célibataires âgées de douze à trente ans sont recrutées en France pour venir fonder une famille en Nouvelle-France. Honnêtes et robustes, elles sont aussi choisies en fonction de leur docilité. Une dot de 50 livres ainsi que des vêtements et des outils ménagers sont offerts par le Roi à la signature du contrat de mariage, généralement dans les jours ou les semaines qui suivent leur arrivée.

Thomas de Crisaty (Sicile ? - Montréal 1696) Officier de marine arrivé au Canada probablement en 1684. Intrépide et brave, c'est lui qui vient au secours de Marie Perrot en 1690.

Claude-Charles Le Roy dit Bacqueville de La Potherie (Paris 1663 — Guadeloupe 1736) En 1697, à titre de commissaire de la Marine, il se joint à l'équipe de Pierre Le Moyne d'Iberville pour une expédition à la baie d'Hudson. Après un bref séjour en France, il revient au Canada à titre de contrôleur de la Marine et des fortifications. C'est en 1702 que Bacqueville de La Potherie soumet aux autorités royales son manuscrit sur l'Amérique : *Histoire de l'Amérique septentrionale*, mais la permission de l'imprimer ne lui est accordée qu'en 1716.

QUELQUES
REPÈRES CHRONOLOGIQUES

1665 - Jean Talon est nommé intendant de la Nouvelle-France. Arrivée de François Jarret, enseigne du régiment de Carignan-Sallières.

1667 - Mariage de Marie Perrot et François Jarret.

1672 - Louis de Buade, comte de Frontenac, est nommé gouverneur de la Nouvelle-France le 17 avril. François Jarret devient seigneur de Verchères.

1677 - Naissance de Pierre-Thomas Tarieu de Lanaudière, fils de Thomas de la Nouguère et de Marguerite-Renée Denis.

1678 - Naissance de Madeleine Jarret de Verchères.

1689 - Massacre de Lachine. Environ 97 colons sont massacrés en pleine nuit par des Iroquois.

1690 - Massacre de Schenectady. Comme représailles au massacre de Lachine de 1689, les Français et leurs alliés amérindiens brûlent Schenectady et massacrent la moitié de la population.

- Les troupes de William Phips assiègent la ville de Québec.

- Marie Perrot défend le fort de Verchères contre les Iroquois.

1692 - En l'absence de ses parents, Madeleine de Verchères défend le fort assiégé par les Iroquois.

1699 - Madeleine relate son exploit de 1692 dans une première lettre à la comtesse de Maurepas.

1700 – François Jarret, seigneur de Verchères, meurt le 26 février. La seigneurie de Verchères est partagée entre son épouse et ses enfants.

1701 - Signature de la Grande Paix de Montréal.

1706 - Mariage de Madeleine Jarret de Verchères et Pierre-Thomas Tarieu de Lanaudière.

1707 - Naissance de Marguerite-Marie-Anne Tarieu de Lanaudière.

1710 - Naissance de Charles-François.

1714 - Naissance de Louis-Joseph, qui meurt peu de temps après.

1717 - Naissance et décès de Marie-Madeleine.

1720 - Naissance de Jean-Baptiste-Léon.

1726 - Deuxième lettre de Madeleine relatant son exploit de 1692 envoyée à la comtesse de Maurepas.

- Enlèvement de l'esclave Marie-Madeleine et son mariage avec Pierre Chauvet dit Lagerne.

1728 - Mort de Marie Perrot à Verchères.

1731 - Début de la construction du Chemin du Roy reliant Québec et Montréal.

1747 - Madeleine vend à son jeune frère Jean-Baptiste la part d'héritage qu'elle détient dans la seigneurie de Verchères.

1748 - Mort de Madeleine de Verchères, seigneuresse de Sainte-Anne.

1758 - Mort de Pierre-Thomas Tarieu de Lanaudière.

1913 - La statue de Madeleine de Verchères est érigée à Verchères.

LE MARIAGE
EN NOUVELLE-FRANCE

Marie Perrot s'est mariée à douze ans. Sa fille Marie-Jeanne est déjà deux fois veuve à dix-sept ans.

Pour peupler la Nouvelle-France, l'âge idéal décrété pour se marier est douze ans pour les filles et quatorze ans pour les garçons. Pour favoriser les mariages, l'intendant Talon utilise la récompense et la punition. Le jour des noces, une somme de 20 livres est remise aux garçons de vingt ans ou moins et aux filles de seize ans ou moins. Aux pères de dix enfants, Talon accorde une allocation annuelle de 300 livres et de 400 livres pour les pères de douze enfants.

Cependant, les pères qui ne marient pas leur enfant avant l'âge de vingt ans pour les garçons et seize ans pour les filles, auront à faire à l'intendant et seront passibles d'une amende. Quant aux célibataires endurcis, Talon les menace de leur enlever leurs droits de chasse, de pêche et de traite avec les Amérindiens s'ils ne se marient pas rapidement avec une jeune fille venue de France.

LA VIE DANS UNE SEIGNEURIE

Fort de Verchères

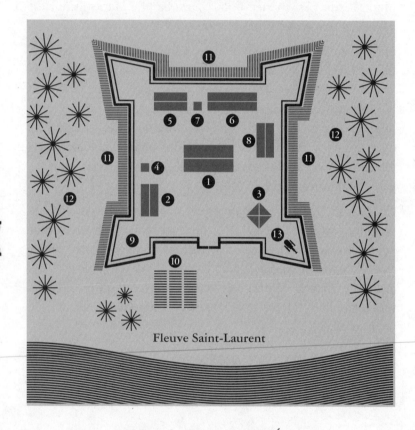

Fleuve Saint-Laurent

1. Maison du Seigneur
2. Abri
3. Redoute
4. Fournil
5. Grange
6. Étable
7. Laiterie
8. Écurie
9. Bastion
10. Jardin
11. Fossé
12. Forêt
13. Canon

Reconstitution du Fort de Verchères : Pierre-Yves Pelletier

Quand les soldats du régiment de Carignan-Salières sont rappelés* en France, les officiers se voient offrir des terres en Nouvelle-France. François Jarret, qui s'est marié en 1669 avec Marie Perrot, fille de Michelle Leflot et de Jacques Perrot de l'Île d'Orléans, reçoit une terre en bordure du Saint-Laurent. Il l'appelle Verchères en souvenir du département de l'Isère d'où il vient. C'est ainsi qu'il devient seigneur de Verchères en 1672. Il a quarante ans et sa jeune femme seize.

Pour s'installer sur sa terre, le nouveau seigneur doit d'abord la défricher. Le domaine étant immense, il le divise en lots qu'il offre aux colons. Ceux à qui il donne un lot deviennent ses censitaires*. Le premier devoir du censitaire consiste à mettre sa terre en valeur et à tenir feu et lieu*. Après un an, si cette condition n'est pas respectée, le seigneur peut reprendre la terre. L'habitant doit payer au seigneur une redevance annuelle, le cens. Il doit aussi faire moudre son blé au moulin seigneurial et donner au seigneur chaque quatorzième minot. S'il pêche, il doit donner au seigneur le treizième du produit de sa pêche. Enfin, il doit donner quelques journées de travail par année durant les semailles, la moisson ou les récoltes.

Le seigneur aussi a des obligations. Il doit bâtir et entretenir un moulin pour le blé, un four pour le pain et les mettre à la disposition de ses censitaires. Il doit construire une chapelle près du manoir et un abri pour les habitants à l'intérieur du fort.

Le manoir est un bâtiment rudimentaire en bois qui comporte une ou deux chambres à coucher et une pièce principale. Au centre de la pièce principale, qui est à la fois cuisine, salle à manger et salle de séjour, trône un immense foyer. Le foyer, sur lequel on cuit les repas est la seule source de chaleur de la maison. À l'étage, on trouve un grenier qui sert de débarras et d'entrepôt pour les céréales.

Pour protéger le manoir et ses dépendances*, la grange, l'étable, l'écurie, le fournil, la laiterie*, la redoute et l'abri, on érige des palissades très hautes. C'est le fort. Le fort comporte un bastion dans chaque coin, où les soldats montent la garde. Chaque seigneurie a sa garnison*. Qu'ils défrichent ou qu'ils travaillent aux champs, les colons sont toujours accompagnés de soldats.

Chaque fort érigé le long du Richelieu doit avoir un canon pour appeler du secours et avertir ses voisins.

Malgré tout, les familles pleurent régulièrement la perte d'un de leurs membres, enlevé ou tué par les Iroquois.

En 1692, Madeleine a déjà vu mourir quelques membres de sa famille. Son frère Antoine, a été brûlé par les Iroquois en 1686. Jean Duhouet, le premier mari de sa sœur Marie-Jeanne, a connu le même sort en 1687. Antoine du Verger d'Aubusson, le deuxième mari de Marie-Jeanne, est tué à Rivière-des-Prairies en mai 1691 avec son propre frère, François-Michel et son oncle, André Jarret de Beauregard.

LES ESCLAVES

Dans la colonie, la période de l'esclavage s'étend de 1681 jusqu'au début du 19ᵉ siècle. Les esclaves, des Amérindiens panis pour la plupart, sont des prisonniers de guerre vendus par les tribus ennemies. Ils peuvent être revendus ou échangés d'un propriétaire à l'autre comme des animaux. Le panis vaut cinq fois une vache : 150 livres pour le panis et 30 livres pour la vache.

L'esclave est un objet de luxe et le noir coûte plus cher que le rouge puisque l'Amérindien ne peut pas vivre en esclavage. Privé de liberté, il en meurt parfois et quand il s'évade, il disparaît rapidement dans la forêt, qu'il connaît mieux qu'aucun Français.

Les esclaves de la Nouvelle-France jouissent quand même d'un meilleur traitement qu'ailleurs. Un esclave peut retrouver sa liberté en étant affranchi par son maître.

LES PRINCIPALES NATIONS AUTOCHTONES EN NOUVELLE-FRANCE

Familles	Nations	Zone
Inuits	Aléoutiens, Inuits et Yupiks	Arctique et nord du Canada (Yukon Territoires du Nord-Ouest et Nunavut), Labrador et le Québec (Côte-Nord)
Algonquiens	Abénakis, Algonquins, Béothuks, Micmacs, Malécitesdes, Montagnais (Innus), Naskapis, Outaouais, Népissingues, Ojibwés, Cris, Cheyennes, Renards, Shawnees, Pieds-Noirs, Sacs Winnebagos, Miamis, Ménominis	Maritimes aux Rocheuses
Iroquoiens	Hurons, Pétuns, Neutres, Simcoe et Iroquois des «Cinq Nations» : Agniers (Mohawks) Onneitouts, Onontagués Goyogouins Tsonnontouans	région des lacs Champlain, Ontario
Sioux		sud-ouest des lacs Winnipeg et Manitoba

Les Amérindiens ont appris aux Français l'art de transformer la sève en sirop d'érable, comment prévenir le scorbut, comment survivre à l'hiver et comment se vêtir adéquatement pour affronter le rude climat. C'est aussi grâce aux Autochtones que les Français découvrent des légumes inconnus: le potiron, le maïs, la tomate et la pomme de terre, qu'ils adoptent après bien des hésitations et qui devient populaire en Europe ensuite.

TABLE DES MATIÈRES

MARIE ROBERGE, auteure

Peintre et graveure formée à Montréal et à Paris, Marie Roberge est mère de six enfants. De 1982 à 2004, elle a participé à des expositions individuelles et collectives au Québec, au Mexique et en France.

Elle a publié son premier roman pour la jeunesse en 2004. *Dans le nid du faucon* a été lauréat du prix *Cécile-Gagnon* 2005 et finaliste pour le prix *Hackmatack* 2006.

En plus des trois romans pour la jeunesse qui ont suivi le premier, elle publie deux essais: *L'Art sous les bombes* et *Le Carnet de Riopelle*, ainsi qu'un album pour les petits, *Gratte, gratte, gratte.*

Depuis 2007, Marie Roberge anime des rencontres dans les écoles au Québec, au Canada et en France.

Après avoir écrit quatre romans inspirés par la sagesse des Amérindiens, c'est un grand plaisir pour elle de jeter un regard de l'autre côté de la palissade pour raconter l'histoire de *Madeleine de Verchères*, une adolescente courageuse qui s'est battue contre eux et qui, de plus, fait partie de ses lointains ancêtres.

Marie Roberge vit au Québec

SYBILINE, illustratrice

Née au Québec, Sybiline a étudié les arts visuels à l'Université Laval. Fascinée par le travail des grands maîtres, elle entreprend ensuite l'étude d'anciennes techniques. Elle se spécialise très tôt dans l'art du portrait et elle s'inspire des univers littéraires, imaginaire et symboliques.

Sybiline travaille présentement comme peintre portraitiste, notamment dans le domaine de l'édition historique. Honorée de plusieurs mentions dont celle du *Best of Show award* au Congrès mondial de la science-fiction 2009, il est possible d'admirer ses oeuvres dans plusieurs galeries, congrès et événements.

Sybiline vit au Québec.

**Titres parus dans la collection
Bonjour l'histoire :**

1. **Marie Rollet, mère de la Nouvelle-France**
   de Sonia K. Laflamme
   The year's best 2011 list Resource links
   Finaliste au prix Hackmatack 2012-2013

2. **Marie Guyart, Mère Marie de l'Incarnation**
   de Sylvie Roberge

3. **Madeleine De Verchères, la combattante en jupons**
   de Marie Roberge

Papier intérieur 100% post consommation

Achevé d'imprimer
en avril deux mille douze, sur les presses
de l'imprimerie Gauvin, Gatineau, Québec